D1255004

LES ÎLES DE LA MADELEINE

Perles du Golfe

Photographies et légendes de George Fischer
Texte de Georges Langford

NIMBUS
PUBLISHING

Nimbus Publishing Limited
C.P. 9166
Halifax (N.-É.)   B3K 5M8
(902) 455-4286

Imprimé et relié au Singapour

Graphisme : Kate Westphal, Graphic Detail, Charlottetown (Î.-P.-É.)
Traduction : Louise-Marie LeBlanc

Catalogage avant publication de Bibliothèque et Archives Canada

Fischer, George, 1954-
Les Îles de la Madeleine : Perles du Golfe / George Fischer.
ISBN 1-55109-521-1

1. Îles-de-la-Madeleine (Québec)–Ouvrages illustrés. I. Titre.
FC2945.145F574 2005   971.4'797'00222   C2005-900360-X

Nous remercions le gouvernement du Canada qui, par le biais de son
programme d'aide au développement de l'industrie de l'édition (PADIÉ) et
du Conseil des Arts du Canada, nous a accordé son soutien financier.

R E M E R C I E M E N T S

Au cours des vingt-cinq dernières années, j'ai noué beaucoup de grandes amitiés aux Îles de la Madeleine, ces gens m'ont aidé à découvrir et redécouvrir ce paysage fascinant de mer, de sable et de soleil. J'aimerais remercier les personnes que je cite sans aucun ordre particulier : Claude Richard, Carmen Boudreau, Jean Boucher et Estelle Arsenault, Micheline Couture, Jean-Marc Cormier, Louis et Micheline Bernier, Gil Thériault, Pascal Arseneau, Michel Bonato, François Turbide et Hélène Chevrier, Gaston Arsenault, Nadine Blacquière, Robert Noël de Tilly, Léonard Arsenault et Suzanne Langford, Arthur et Nicole Miousse, Francine Bourque, Serge et Lucie Chevarie, Brian et Joyce Josey, Gérard Leblanc ainsi que Albert et Nicole Cummings. Si j'ai oublié quelqu'un, veuillez m'en excuser.

– George Fischer

Le quai

Du point de vue de l'insulaire, certaines villes du continent sont plus « mouillées » que d'autres : leurs ports commencent des voyages vers des îles où d'autres ports les achèveront.

Sur les quais, à Montréal, à Souris, on croise déjà des gens des Îles bien connus dans le secteur. Passagers, voitures et marchandises en disent long sur notre mode de vie. Ces morceaux d'archipel empruntent une route abstraite que le bateau refait sans cesse.

Ici, dans ces îles éloignées, tout ce que nous possédons est arrivé par la mer. L'avion a bien apporté quelques miettes, mais le quai a vu passer la presque totalité de notre patrimoine. Et ça continue. Des senteurs de poisson, de peinture et d'essence ressortent ici et là de l'odeur générale de la baie. Vous n'entendez aucun son isolément, vous les avez tous en même temps : bruits du bois, du fer, des oiseaux, des moteurs, du vent, de la vague, des gens...

Que racontait-on dans les premiers ports du monde? On y allait sans doute autant pour les nouvelles que pour les arrivées et les départs. Place publique par excellence, le quai est toujours une pouponnière à rumeurs :

- La pêche, c'est du passé!
- Les voyageurs ne voyagent plus!
- On n'a pas d'été!
- On n'aura pas d'hiver!

Et nous n'avons déjà que deux saisons...

D'aussi loin qu'on se souvienne, le quai propage des nouvelles encore plus effrayantes que celles qui circulaient autrefois le dimanche, tout de suite après la messe. Une sorte de gros perron d'église en eau profonde.

Quand on veut tâter le pouls des Îles, on se rend sur le quai du gouvernement.

Si certains politiciens font trois élections avec un pont, d'autres en gagnent davantage avec un seul quai. Constamment exposé à la vague, aux bateaux et à la circulation, sa construction demande des mois de travaux avant de nécessiter un entretien éternel comme les promesses.

La sensation de bien-être qu'on éprouve le long des quais ne doit pas nous faire oublier les dangers qui s'y dissimulent. Il y a bien longtemps, un jeune homme revint des noces en titubant. Quelqu'un voulut le mettre en garde contre le danger de tomber à la « tête » du quai du gouvernement. Escamotant un mot, le bon samaritain lui expliqua que vu son état, il pourrait bien tomber « à la tête du gouvernement »! C'est un vrai miracle qu'il soit encore parmi nous.

Depuis toujours, les insulaires vont veiller à bord des bateaux de passage. Ils tissent des liens avec des pêcheurs des Maritimes ou d'Europe. Ils se partagent un trésor d'histoires et de chants de marins.

Les quais ont connu tous les changements importants dans l'archipel à partir des récents débarquements de voyageurs en remontant jusqu'aux débuts de la pêche. Le passage de la voile au moteur ne s'est pas fait sans quelques heurts. On rapporte qu'un pêcheur n'ayant pas les moyens de suivre le progrès résuma ainsi sa situation :

« Nous autres, on pêche encore à la voile : quand il fait beau, on peut pas sortir, quand il fait pas beau, faut s'en revenir. Et quand on manque pas l'quai, on rentre dedans! »

Ce matin, dans le port, le traversier fait un demi tour sur lui-même. La manœuvre requiert pratiquement tout l'espace disponible. Le paysage tourne avec les bateaux de pêche et les goélands qui se disputent un lampadaire. Cap sur la ville « mouillée »!

Les passagers sont faciles à démêler les uns des autres. Ces deux-là s'en vont chercher du travail, celui-ci transporte du poisson. Les jeunes en train de lire sur le pont retournent aux études. À l'âge qu'ils ont, ils ont le temps de revenir. Le troisième touriste à gauche, il vient ici depuis des années. Le couple assis à la table s'en va pour cause de maladie. Quant aux amoureux qui viennent de passer, on dirait qu'ils ont trouvé leur chemin.

À gauche : Vue aérienne de la Grave, du Sandy Hook et de l'île d'Entrée.

La Banquise du Golfe à la Grave. L'artiste Francine Bourque a suspendu temporairement dans son atelier des décorations colorées pour fenêtre.

Francine Bourque assise près de ses œuvres, de jolies toiles aux maisons colorées.

La Big Hill à l'île d'Entrée.
À gauche : Le nouveau rocher en forme d'éléphant de Cap Alright.

Le sable, les dunes et la mer invitent le voyageur las à découvrir la plage de la dune du Sud.

Un paysage omniprésent aux Îles de la Madeleine, des vaches paissant tranquillement dans des champs de fleurs sauvages.

Le chemin

À la sortie du quai, le grand chemin prend tout de suite des airs de lieu public et de cérémonie officielle. Il n'appartient à personne et se prête à tout le monde. On n'a pas besoin de rouler longtemps pour avoir l'impression de brasser de grosses affaires : magasins, églises et cafés vous sollicitent des deux côtés. Quant aux gens qui habitent le long du grand chemin, leur vie intime fait partie de l'exposition permanente. Ils entretiennent leur maison en conséquence.

Quelqu'un qui resterait là sans bouger pendant toute une année aurait une bonne idée des activités de l'archipel rien qu'à regarder le temps passer dans le chemin.

Ça commence au mois de mars avec les phoques. Mais ne cherchez pas les blanchons sur les routes ! Voyez plutôt ces fourgonnettes aux passagers sortant de l'ordinaire : amoureux de la faune, voyageurs friands d'exotisme, communicateurs anti-chasse en quête d'une preuve de barbarie, reporters du monde entier à la recherche d'un personnage typique ou d'un rayon de soleil. À l'occasion, on voit passer quelques chasseurs de loups-marins. Ils pratiquent leur métier en harmonie avec la nature depuis des générations.

Au printemps toujours, on rencontre des bateaux de pêche qui se faufilent dans le grand chemin entre les voitures soudainement toutes petites à côté de ces mastodontes. Ils quittent la propriété familiale où on les a radoubés pendant l'hiver et prennent le chemin du quai, de la mise à l'eau et de la pêche au homard.

L'été, que certains appellent maintenant « saison touristique », bat son plein quand le trafic augmente considérablement et qu'on ne reconnaît plus les passagers d'une voiture au modèle et à la couleur pourtant familiers. Méfions-nous des apparences ! Parfois, une autocaravane ayant l'air d'arriver du bout du monde appartient tout simplement à un pêcheur de homard bien nanti qui revient de la messe...

Quand la circulation redevient clairsemée, les bateaux repassent devant nos portes en sens inverse et rentrent à la maison pour un autre hivernage.

Bientôt les grandes poudreries laissent entrevoir des convois de voitures, charrues à neige en tête, qui traversent périodiquement d'une île à l'autre. Les chanceux déjà bien au chaud rajoutent une bûche dans le poêle et s'inquiètent des leurs. Ils finiront bien par arriver.

Les chemins bouchés mènent à d'autres îles, en tout cas à une autre insularité. L'isolement prend tout son sens quand l'électricité baisse jusqu'au noir le plus complet. L'époque devient embrouillée comme le blizzard. Cela se passe-t-il aujourd'hui ou il y a cent ans ? On garde la visite à coucher, on sort les conserves, un jeu de cartes et des instruments de musique. Tout le reste attendra qu'il fasse beau.

Quant aux petits chemins qui serpentent ici et là, ils ont l'air d'appartenir aux maisons qu'ils irriguent d'une vie lente et douce. Ils mènent au cœur des gens, on y marche parfois sur la pointe des pieds.

Ils conduisent souvent à des morceaux d'infini. On a le cœur léger en arpentant le chemin des Amoureux, celui du lac Solitaire ou de la baie de Plaisance.

À gauche : Pendant la saison estivale, la Grave est animée par les activités nocturnes.

L'Étang-du-Nord.
À gauche : Il n'est pas rare de voir des arcs-en-ciel doubles sur ces îles enchanteresses.

La Big Hill à l'île d'Entrée rougeoie en fin d'après-midi.

Le sable soufflé par le vent devient une mer d'empreintes laissées par les vacanciers.

Nadine Blacquière manœuvre lentement son Zodiac pour franchir les eaux dangereuses et la brume qui entourent le Rocher-aux-Oiseaux.
À gauche : Moment de tranquillité dans la baie du Cap-Vert.

La toute blanche église de La Vernière.
À gauche : Le clocher blanc de l'église de La Vernière perce le ciel matinal.

Le premier voyageur

- chanson -

Qui donc inventa le voyage
Pourquoi quitta-t-il son abri
Contre les vents, contre les pluies
Allait-il dénicher la roue
Un nouveau territoire de chasse
Le télescope, le parapluie

Et puis le moteur à vapeur
Ou la formule magistrale
Qui nous mènera jusqu'aux étoiles
Celui qui partit le premier
Qui donna le coup de collier
Contre les vents, contre les pluies

Il avait mis tant d'ouvrage
À se protéger des fauves
À conjurer tous les dangers
Quelle semelle morte
Souilla donc sa porte
L'ennui l'avait-il visité

Était-ce une ruse de guerre
Une vocation missionnaire
Avait-il des choses à vendre
Celui qui partit le premier
Qui donna le coup de collier
Contre les vents, contre les pluies

La confusion de l'amour
L'avait-elle déjà chassé
Celui qui partit le premier
Ou simplement la mer
Le goût d'une étrangère
Le poussaient-il vers d'autres terres

Savait-il qu'après le voyage
A beau mentir dans son village
Celui qui a vu des paysages
Celui qui partit le premier
Qui donna le coup de collier
Contre les vents, contre les pluies

Le premier voyageur...

À gauche : La flotte de la CTMA, le Voyageur, le Vacancier et le Madeleine, laisse descendre son lot quotidien de passagers à Cap-aux-Meules.

Les activités nocturnes du Vieux Couvent se reflètent dans la Petite Baie.

Reginald Poirier accueille des convives affamés dans son restaurant gastronomique établi dans le Vieux Couvent.

Des étangs d'eau douce comme celui-ci près de la Plage de l'Ouest, sont de véritables paradis pour les oiseaux migrateurs.
À gauche : Solitude matinale dans la baie de Grosse-Île.

Jean Madgin – l'homme-oiseau des Îles – vole au-delà des falaises de la dune du Sud.

Les falaises de l'Étang-des-Caps s'enflamment dans les derniers rayons de soliel.

La plage

La nuit sur la plage nous remet dans l'universel. L'explosion de la vague ajoute une pulsation profonde aux mystères des dunes. La lune, les planètes et les étoiles ressoudent des mondes qui ont tendance à s'oublier au cours de la journée. Et nous, dans tout cela?

On peut voir des dunes de sable jusque dans le ciel. Celles de Mars ressemblent aux nôtres, leur formation obéissant aux mêmes lois que celles qui ont régi la construction de la dune du Nord.

Ici-bas, la nuit enveloppe une partie des trésors qui traînent sur la plage. Il faut les imaginer jusqu'à l'aube qui révélera enfin ce que la mer a apporté.

Voici quelques coquillages vivants, en voilà d'autres vidés de leur occupant, le temps et les oiseaux ayant passé avant nous. On déambule dans le plus achalandé des cimetières marins. Par dizaines de milliers, les coquilles de moules, de crabes et de bigorneaux nous rappellent la brièveté de la vie. Couteaux et palourdes, étiez-vous prédestinés au ventre des oiseaux ou au chowder à la mode de la Nouvelle-Angleterre, succulent repas dans les deux cas?

Enchevêtrés dans les algues et les foins de dune, du bois de côte et un fragment de matière transparente. Probablement un tesson de bouteille poli par la mer jusqu'à la perfection.

Emportons sans trop savoir pourquoi ces quelques dollars des sables.

À l'abri du cap, les cendres d'un feu de joie. Il n'y a plus personne, mais en prêtant bien l'oreille, on entendra les filles et les garçons raconter des anecdotes à propos de l'île d'en face. On suivra la progression de quelques accords de guitare pour une chanson d'amour remplie de silences éloquents.

Débris de cages à homard, bouées perdues, une casquette…

Une casquette? Absolument. Il n'en reste plus grand-chose, mais on voit bien que c'était de la qualité. Qui sait comment elle fut perdue…

Imaginons ce matin-là. Malgré une mer bien mauvaise, aussitôt levé, Damien met sa casquette et descend au quai sans déjeuner. Il va lever ses cages à homard au plus vite, avant le gros de la tempête. Avec les années, il est devenu moins prudent comme ces marins expérimentés que la routine finit par rendre vulnérables. Ambitionné par une saison de pêche qui s'annonce exceptionnelle, Damien travaille d'arrache-pied à battre son propre record d'il y a cinq ans. On l'avait alors porté en triomphe à la fête des pêcheurs et sa femme lui avait offert une casquette pour l'occasion. C'était la plus belle casquette du rang de pêche, noire avec des broderies dorées qui représentaient son bateau fendant la mer. Damien ne devait plus s'en séparer.

L'aide-pêcheur vit bien la vague qui emporta son patron, mais il eut beau scruter le blanc comme le gris de la mer, Damien ne reparut jamais. On ne retrouva rien de lui à part la fameuse casquette qu'un promeneur remarqua sur la plage. Celui-ci la reconnut au fil doré qui dessinait un bateau. Il lui vint à l'esprit qu'on ne voyait jamais Damien sans sa casquette et un frisson l'envahit : un fantôme arrivait du large en maugréant pour la récupérer. Prenant ses jambes à son cou, il abandonna ses dollars des sables à la marée montante.

On fréquente la plage depuis la nuit des temps. On y viendra jusqu'à la fin du monde avec une serviette, un livre ou un ballon. La nuit, les mains vides et le cœur ouvert, on y jouera les âmes errantes dans les traînées de lumière d'un monde à changer.

À gauche : Une plage déserte à la dune du Nord.

À Portage du Cap, des chevaux broutent paisiblement l'herbe luxuriante.

À gauche : Au mois de juin, de magnifiques tapis de marguerites blanches couvrent les Îles de la Madeleine.

À vous de choisir: une promenade à pied énergisante ou une visite relaxante au musée.

La Big Hill - une colline située sur l'île d'Entrée, c'est le point le plus élevé de l'archipel et un lieu recherché par des milliers de visiteurs qui gravissent, en serpentant, ses flancs glissants pour y admirer de son sommet une vue panoramique spectaculaire de tout l'archipel.

Des maisons à l'architecture raffinée, aux couleurs vives et audacieuses font partie du paysage madelinot.
À gauche : Les amateurs de coucher de soleil se donnent rendez-vous au cap du Phare à l'Étang-du-Nord.

La baie

Les bateaux en quête d'accueil reconnaissent chaque fois la bonne échancrure du littoral, la baie. Là, l'humble voyageur aussi bien que le navigateur légendaire voit son voyage s'accomplir. On n'est plus en mer, on n'est pas arrivé non plus. Il reste un peu de temps pour flotter dans les nuages avant de débarquer.

Dans la maison avec vue sur la baie, on s'attarde à la fenêtre. On ne manque jamais l'arrivée du traversier. Même quand on n'embarque pas, qu'on n'attend rien ni personne, on aime savoir qu'il voyage. Il prend toute la place en arrivant et brille par son absence en repartant. Quand il ne naviguera plus, pendant les gros mois d'hiver, on trouvera le paysage bien vide.

Au mois de mai, la flottille des bateaux de pêche qui essaime dans la baie donne une idée du sérieux de l'entreprise. La remise en marche du moteur économique de l'archipel fait beaucoup de bruit. Quelques séances d'échauffement permettent d'essayer les bateaux avant le ballet printanier. Les homardiers qui d'ordinaire suivent un trajet précis et routinier ne se gênent pas pour décrire des cercles ou revenir sur leurs pas.

La vie qui reprend dans le port débordera bientôt dans la baie. Les cages à homard encombrent déjà les quais, et les bateaux frais repeints témoignent de la fébrilité des équipages. L'ouverture de la saison de pêche va ressusciter l'archipel.

Depuis minuit, on observe un gros trafic sur les routes et les quais sont noirs de monde. La population vient fêter le retour en mer des pêcheurs. À l'aube, une fusée donne le signal et des dizaines de bateaux prennent le large. Ils feront plusieurs voyages afin de tendre les trois cents cages auxquelles chacun a droit. Parents et amis viennent donner un coup de main et l'euphorie règne partout. Les restaurants fermés depuis l'automne dernier sont pleins à craquer et le déjeuner s'éternise au son des musiciens réquisitionnés pour l'occasion. Dans le courant de l'avant-midi, les gens retourneront à leur quotidien avec un décalage de quelques heures et l'impression d'avoir réveillé le temps. Lundi, on mangera le premier homard, le meilleur il va sans dire. Le printemps est de retour dans la baie.

On a bien quelques surprises au cours de l'été. On se réveille un matin la vue bouchée par un paquebot ou un grand voilier que personne n'attendait. Quand les éléments dépassent les bornes, c'est le désert sur la mer, histoire de laisser toute la place à la tempête. Toute la place? Pas tout à fait...

Les planches à voile n'attendaient que ces vents déchaînés pour sortir des dunes. Elles bondissent comme l'éclair dans la vague, faisant du même coup un pied de nez aux géants amarrés au quai qui refusent de sortir par un temps pareil. Ces dizaines de planches en liberté ont quelque chose des tableaux maritimes d'antan comme celui évoqué par Faucher de Saint-Maurice quand il écrit avoir vu, vers 1870, près de l'île d'Entrée, « une flotte de quatre cents goélettes qui couraient le maquereau, toutes voiles dehors. »

Plus humblement, les petites baies offrent un spectacle à leur mesure. La pêche à pied ou en chaloupe refait le bord de la côte à notre échelle. L'hiver ramène les promenades en patins ou en chars à glace.

L'esprit d'ouverture et d'apaisement qui règne dans la baie habite l'humain jusque dans son langage. On dira avec bonheur une « baie vitrée », une fenêtre panoramique, une « baie d'extension », un espacement qui permet des ajouts dans un ordinateur, la « baie d'un clocher », l'endroit où l'on accroche les cloches.

La baie accueille le vivant et l'imaginaire du monde.

À gauche : Un billot échoué devient un banc confortable sur la plage de la Martinique.

Louis Bernier, de la Grave, ajoute une touche finale à une autre de ses aquarelles.

Des milliers d'oiseaux ont élu domicile sur le Rocher-aux-Oiseaux, ce rocher aride qui se dresse dans le golfe Saint-Laurent à environ 20 kilomètres de Grosse-Île.

La dune du Sud s'étire pour rejoindre l'île de Grande-Entrée.
À gauche : Ce bateau de pêche a connu trop de saisons de homard.

Cette pelouse à Pointe-aux-Loups a besoin d'une bonne tonte.

Scène pastorale du chemin des Montants.

Sur une plage

- chanson -

Nous, on joue sur une plage
À longueur de pensée
On y va à tout âge
De toute antiquité
On y va s'éventer
Se baigner, s'endormir
Aimer, manger, courir
Lire ou mourir

Nous, on joue sur une plage
Le temps de regarder
L'heure et le paysage
Tout emporter

Nous, on joue sur une plage
À courir les mers
À traquer le hasard
Dans les raisons premières
Turbulence ingénue
Neige blanche devenue
Tant de choses qui changent
Mais demeurent étranges

Nous, on joue sur une plage
Le temps de regarder
L'heure et le paysage
Tout emporter

Nous, on joue sur une plage
À troubler l'eau claire
Et toujours le naufrage
Est plus grand que la terre
On a beau faire le guet
Regarder de plus près
Tout s'en va sans rien dire
Sans revenir

Nous, on joue sur une plage
Le temps de regarder
L'heure et le paysage
Tout emporter

À gauche : L'érosion constante des côtes des Îles de la Madeleine crée des falaises escarpées, des affleurements rocheux et des grottes qui invitent à l'exploration.

Des kilomètres de sable doré intact accueillent à l'occasion des baigneurs venus profiter du soleil sur la plage de la Grande Échouerie.

Les dunes de la plage de l'Ouest.

Des boutiques colorées à l'Étang-du-Nord.
À gauche : À la brunante, une rangée de boutiques et de restaurants découpe l'horizon de la Grave.

Une maison au toit en mansarde, une architecture commune à bien des maisons des Îles.

Profitant du vent, une des richesses naturelles des Îles de la Madeleine, jeunes et moins jeunes s'adonnent à leur passe-temps favori et font voler leur cerf-volant.

La musique

Quand la vie joue le jeu et ressemble à un film, on reconnaît nos airs sur la bande sonore.

Le répertoire varie d'une maisonnée à l'autre. On a des familles divisées sur les genres musicaux comme celle-ci où l'on trouve un chanteur d'opéra, une chanteuse country et un guitariste rock, tous des virtuoses! Un tel foisonnement d'experts sous un même toit ne peut qu'engendrer des cataclysmes. Pourtant, tout a commencé dans l'harmonie avec le bon Dieu.

Jadis, c'est à l'église qu'on entendait « de la belle musique » pour la première fois. Là, on voyait qui avait de la voix et qui n'en avait pas. Le curé qui chantait faux voyait sa quête fondre comme du beurre au soleil. Même à l'église, comme dans certaines familles, on n'était pas toujours d'accord sur le répertoire…

Un soir, quelque temps avant Noël, la chorale répétait dans le chœur de chant autour de l'harmonium. Le soufflet de l'instrument était actionné par un manche en bois que le « pompeur » levait et baissait avec régularité. On ne parvenait

pas à s'entendre sur le choix d'un cantique pour accueillir les fidèles à la messe de minuit. Après de vains pourparlers entre les altos et les sopranos, le pompeur exaspéré laissa tomber : « Chantez ce que vous voulez, moi je pompe *Ça bergers…* »

Notre musique renvoie toujours des échos d'église. Ils arrondissent nos vieilles chansons de France et nos chants de marins. Ils mettent en valeur les détails de la gigue et la « revire » du violon.

Dans chaque maison, un livre rivalisait d'importance avec la Bible, le cahier de chansons, rempli lui aussi de paroles éternelles. C'était un outil indispensable, car lorsqu'on voulait de la musique, il fallait la faire! Comme le pain, le beurre, les meubles et la maison elle-même. Parfois, au lieu du titre exact, on lisait : *La chanson à un tel*, c'est à dire à celui qui la chantait le mieux.

Les gens chantonnaient en travaillant pour garder le rythme et se donner du cœur à l'ouvrage. Le soir, le vent tombé, les jeunes veillaient sur la balançoire en apprenant les chansons de Madame Bolduc et de Félix Leclerc.

L'arrivée de la radio allait faire connaître la chanson country et les succès américains. Avec le temps, la musique sortit des maisons, embarqua dans les premières voitures et gagna les salles de danse.

Dans les années soixante, les étudiants qui revenaient d'en dehors pour les vacances ouvraient des boîtes à chansons. Un hangar abandonné, des bûches en guise de chaises, une affiche faite à la main et le tour était joué. Afin de monter un répertoire original, les artistes écrivaient des chansons l'après-midi, les arrangeaient au souper et les interprétaient en soirée devant un public averti… et indulgent.

À l'ouverture du premier piano bar, le public était fin prêt à tout chanter lui-même. Le pianiste se contentait d'accompagner. À la maison, avant de sortir, les gens repassaient leurs chansons avec autant de soin qu'ils en mettaient à s'habiller ou à se maquiller. Celle qui arrivait au bar avec les paroles de la dernière à la mode faisait un malheur. Au bout de quelques soirs, tout

le monde chantait avec elle. Comme le pianiste devait penser aux affaires de la maison, il jouait de temps en temps *Et glou et glou et glou*, une chanson à boire qu'on reprenait à tour de rôle en vidant son verre d'un trait.

Quand les mois s'allongent, chaque occasion de célébrer arrive comme un coup de vent qui revigore.

Le cœur de la fête bat tellement vite que, à un certain point, il semble immobile. À ce moment précis, on peut voir le mécanisme de la vie dans sa simplicité et sa dérision. Voilà qui donne envie de continuer jusqu'aux petites heures.

En cette fin d'après-midi, on revient d'un enterrement sans tristesse. Le défunt a bien vécu, on fera comme lui. On a loué une grande salle et pris soin d'inviter les trois artistes. Ce départ touche toute la communauté, aussi les publics du chanteur d'opéra, de la chanteuse country et du guitariste rock sont-ils présents.

Ce soir-là, la famille divisée fera l'unanimité dans la salle.

Un grand nombre d'espèces de mouettes et de goélands choisissent les falaises dangereuses de l'île d'Entrée pour faire leur nid.

Ces petits arbres rabougris si communs aux Îles ont subi les colères des vents puissants qui y soufflent. (photo de Ryan Fischer)

Le phare de l'île d'Entrée.
À gauche : C'est à la Cormorandière que l'on trouve certaines des plus hautes dunes des Îles.

On peut observer en abondance des macareux aux couleurs magnifiques sur l'île Brion et aux alentours.

Grottes et cavernes font la joie des marcheurs le long des buttes Pelées.

La maison

Chacun construit sa maison depuis toujours. On a bien connu quelques exceptions comme cet homme de roue qui disait que la vie était trop courte pour prendre la peine de se bâtir, mais les autres ont dû apprendre à jouer du marteau : il n'y avait rien à louer dans l'archipel et il fallait bâtir ou coucher dehors l'hiver.

On s'élevait au rang de bâtisseur dès qu'on parlait de « se loger ». Et on en parlait longuement, car à force d'en décrire le toit, les galeries et les pignons, on imaginait la future demeure jusque dans ses moindres détails.

Il fallait mettre toute son âme à cette maison pour qu'elle y soit hébergée à jamais. Au fil des lits, des berceaux et des berceuses, elle renaîtrait avec les plus jeunes et ainsi de suite. On reparlerait du commencement, du jour où l'ancêtre avait dit : « Je me bâtirai ici, à l'abri du vent, à la lumière du matin avec vue sur la mer et sur la pêche. Pas besoin de se tracasser pour le chemin, il finira bien par nous trouver. »

Ceux qui sont allés vivre ailleurs ont laissé derrière eux des choses qu'ils n'ont pu emporter comme le vent dans les murs et la mer dans les vitres. Quand ils succombent au mal du pays et rentrent au bercail, ils recherchent une vieille maison, quitte à la défaire et la refaire pour jouir de son âme à la mode d'aujourd'hui. Ils s'adonnent au jeu des maisons en bois. Celles-ci permettent des transformations que d'autres types de construction supporteraient difficilement. Une maison en bois, on peut la lever, la déplacer, la rallonger et quoi encore...

La rénovation de la « maison tordue » a commencé dans la surprise générale un lundi matin à sept heures et demie. On garde souvent ce genre de projet secret jusqu'à la dernière minute. Peut-être parce qu'on n'a pas envie de répondre à un barrage de questions sur les risques de l'aventure. On préfère passer pour sain d'esprit le plus longtemps possible. On a beau savoir que ça coûterait moins cher d'en faire une neuve, que ça irait plus vite, l'atmosphère d'une vieille maison est irrésistible. Il faut se lever de bonne heure pour créer une âme nouvelle qui soit aussi envoûtante.

Lundi matin, donc, bouchon de circulation et parade de machinerie dans le canton. Au bout de quelques heures, un trou et une montagne de terre laissent présager une grosse opération. La mise en chantier de nouvelles fondations dissipent tous les doutes qui pourraient subsister : les gens de la maison tordue sont bel et bien atteints de la maladie...

Il faut laisser le béton durcir pendant plusieurs semaines, car c'est tout un poids qui va lui tomber dessus d'un seul coup.

Entre-temps, la maison soulevée gît sur des blocs. On a coupé l'eau, l'électricité et le chauffage. Ses racines se retrouvent à l'air libre, des fils et des tuyaux coupés pendent de partout. Une plaie mal fermée termine le toit : on a défait la cheminée qui ne résisterait pas au transport. Dedans, on a attaché les portes d'armoires et couché les meubles par terre comme à bord d'un bateau qui va entrer dans l'ouragan.

Maintenant que les fondations peuvent supporter le poids de la maison, on ne met que quelques heures à la faire glisser dessus. L'esprit des lieux revivra au fur et à mesure que les menuisiers le retrouveront.

À l'intérieur de la maison tordue, la vue a légèrement changé aux fenêtres. Le redressement les a remises d'aplomb, en harmonie avec le niveau de la mer.

Et comme c'est souvent le cas lorsque les choses changent, on finira par croire que rien n'a bougé.

À gauche : Une magnifique demeure du Havre-aux-Maisons.

L'émotion et l'agitation flottent dans l'air à l'approche de l'île d'Entrée, alors que se termine le trajet de cinq heures pour se rendre aux Îles de la Madeleine.
À gauche : Une clôture qui ne va nulle part à la dune du Sud.

Les galets de la Grave.
À gauche : Falaises volcaniques des buttes Pelées.

Jour et nuit, le phare de Cap Alright projette son faisceau de lumière protecteur sur la mer.

Le capitaine d'excursion en mer Gaston Arsenault à la barre du *Gertrude-Beatrice.*

Le rêve de Lili

- chanson -

Quel voile, quel vol de nuit
Le rêve de Lili
Quand elle explose
Et qu'elle dépose
Son livre d'astronomie

Elle aime à marcher le soir
Quand il fait beau et noir
L'étoile rebelle
Au-dessus d'elle
Elle irait bien la voir

Elle songe qu'un monde extra
L'a tirée d'un faux pas
Que plus légère
Que lumière
Elle est rendue là-bas

Des terres nonpareilles
Des huitièmes merveilles
La vie entière
Sans nul mystère
Autour d'un vieux soleil

Quel voile, quel vol de nuit
Le rêve de Lili
Quand elle explose
Et qu'elle dépose
Son livre d'astronomie

À gauche : Le chemin des Échoueries et les impressionnantes falaises des buttes Pelées.

Route 199 - la route principale des Îles de la Madeleine qui relie toutes les îles comme on peut le voir ici entre Havre-aux-Maisons et l'Île-aux-Loups.

Pendant le concours annuel de châteaux de sable de Havre-Aubert, des châteaux de sable de conception audacieuse apparaissent comme par magie sur la plage de Havre-Aubert.

Le drapeau acadien orne bien des maisons des Îles.
À gauche : Le clair de lune et le faisceau du phare se donnent rendez-vous à l'Étang-du-Nord.

Des chevaux se promènent en liberté dans l'île d'Entrée.

Des collines dénudées comme celles de l'île d'Entrée, un paysage propre aux Îles de la Madeleine.

Vivre en mer

Dans cette position géographique, nous vivons tous en haute mer peu importe notre occupation. Nous sommes tous marins par défaut à bord d'un gros bateau en route vers un bout du monde. Ou bien nos sens nous jouent des tours et nous sommes ancrés depuis le départ. En tout cas, il n'y a pas de quai, et quand nous mettons le nez dehors, nous ne voyons que des vagues ou des étoiles selon le moment de la journée.

Le voyage prend la couleur de la saison : le printemps pour se préparer, l'été pour se faire, l'automne et l'hiver pour se refaire.

Nous parlons météo comme nous parlons français. Sans la température, comment voyager, travailler, et avoir de la conversation beau temps, mauvais temps?

L'isolement nous impose bien des contraintes, mais il a l'avantage de nous aider à décoder nos états d'âme.

Quelqu'un a-t-il jamais appris le jargon de la solitude autant que le gardien de phare du Rocher-aux-Oiseaux, en charge de la seule étincelle en mer à une vingtaine de kilomètres des côtes? Quand il ressentait plus que d'habitude le besoin de voir quelqu'un, il le criait à pleins poumons. Mais à chaque instant la lumière qu'il entretenait lui coupait la parole et avertissait les éventuels équipages : « Surtout, éloignez-vous d'ici! »

Nous luttons sans répit contre l'isolement. Dernièrement, on nous a reliés au continent au moyen d'un câble sous-marin qui nous permet de naviguer sur Internet avec le reste du monde. Ce genre de lien jette des ponts entre nos Îles et les côtes les plus éloignées, mais l'expérience nous rappelle la fragilité de ces connexions.

Au cours de l'hiver 1910, le câble qui achemine les messages entre les Îles et la terre ferme fait défaut. Ça tombe mal, car il n'y a plus de navigation à

cette période de l'année. Sur le continent, personne n'a remarqué le silence qui nous entoure. Des navigateurs ingénieux gréent un tonneau en lui fixant une voile et un gouvernail puis le lancent à la mer en direction du Cap-Breton. C'est là qu'il atterrira au bout de quelques jours avec ses messages de détresse. Ironie du sort, il a abordé dans la même île qui a abrité deux géants des télécommunications dont les travaux ont brisé tout l'isolement du monde : Alexander Graham Bell et Guglielmo Marconi ont tous deux tenu résidence et atelier au Cap-Breton, à quelques dizaines de kilomètres d'ici! Ont-ils eu vent de cette traversée insolite?

La vie qui nous entoure ne tient souvent elle-même qu'à un fil. La terre, la mer et le ciel, malgré la sensation d'infini qu'ils suscitent en nous, ne sauraient résister longtemps à nos développements quand ceux-ci manquent de discernement.

Lorsque on pose un geste dans la bonne voie, on peut renverser la vapeur et changer le cours des événements. Il y a une vingtaine d'années, certains n'en pouvaient plus de voir des camions charroyer sans arrêt un paysage hors du commun : rien de moins que les célèbres Demoiselles, ces buttes évoquant la forme et la douceur des seins de la femme. Que faisait-on de la pierre arrachée aux flancs de ces dames? On la destinait à recouvrir nos ordures! Afin de dénoncer le massacre, des gens se mobilisèrent et se rendirent à pied au dépotoir. Chacun ramassa une roche et la rapporta aux Demoiselles.

Aujourd'hui, nous avons un centre de traitement des déchets et la communauté a acquis les buttes en question afin de les préserver.

Nous sommes tous marins par défaut à bord de cet archipel.

Jusqu'à quand les Demoiselles fleuriront-elles?

À gauche : Des bateaux multicolores prêts à partir pour une journée de pêche au homard se bercent à l'unisson dans les digues protectrices de l'Anse-à-la-Cabane.

Une brume épaisse passe et repart, mais parfois s'arrête dans les régions basses donnant aux Îles un air mystérieux.

Le phare de l'île Brion entouré d'un champ d'iris bleus.

Des maisons rouges, vertes, jaunes et bleues colorent l'île de Fatima.
À gauche : La petite église de l'île d'Entrée et son cimetière.

Véranda donnant vue sur la Pointe-Basse.

Maître du soufflage de verre, Francois Turbide ajoute des couleurs tournoyantes à un vase.

Le Café de la Grave à Havre-Aubert est l'endroit parfait où s'arrêter pour se rafraîchir après une journée à vélo.
À gauche : Vue aérienne de la Pointe et de l'île Rouge.

Le Rocher-aux-Oiseaux

- chanson -

C'est noir derrière la lumière
Écrivait le gardien de phare
Sur le pilier dans la mer
À douze milles de nulle part

L'été... tout un été...
L'été... tout un été...
À compter des jours de trop
L'été perché en haut du Rocher-aux-Oiseaux

J'ai guidé tous les parcours
Un bateau passe tout droit
Il ne sait pas comme toujours
Que le naufragé c'est moi

L'hiver... tout un hiver...
L'hiver... tout un hiver...
À compter des jours de trop
L'hiver perché en haut du Rocher-aux-Oiseaux

Que font donc mes compagnons?
La bière est-elle encore blonde?
Boivent-ils, à l'occasion,
Au signal du bout du monde?

L'été... tout un été...
L'été... tout un été...
À compter des jours de trop
L'été perché en haut du Rocher-aux-Oiseaux

La reverrais-je au tournant
De cet hiver éternel,
Perdu dans l'œil turbulent
De l'ouragan Isabelle?

L'hiver... tout un hiver...
L'hiver... tout un hiver...
À compter des jours de trop
L'hiver perché en haut du Rocher-aux-Oiseaux

Comment voler jusqu'à elle?
Je suis le seul, à propos,
À ne pas avoir des ailes
Parmi quarante mille oiseaux...

L'été... tout un été...
L'été... tout un été...
À compter des jours de trop
L'été perché en haut du Rocher-aux-Oiseaux

À gauche : Rocher-aux-Oiseaux - petit point dans le golfe, ce rocher inhospitalier est un sanctuaire pour des milliers d'oiseaux.

Les roseaux des sables épineux protègent le fragile écosystème des dunes.

De puissantes vagues viennent exploser à l'entrée des grottes de l'Étang-des-Caps.

La famille Cyr, de Fatima, fait une courte pause avant de reprendre les travaux de peinture annuels sur la maison, une scène typique aux Îles pendant la saison estivale.

À gauche : Le vélo est un choix populaire pour ceux qui désirent voir les Îles à un rythme plus lent.

D'ondoyants roseaux des sables protègent les dunes des Îles de la Madeleine.

À gauche : Même les vieilles maisons abandonnées comme celles de Grosse-Île deviennent un site passionnant.

Le phare de l'Étang-du-Nord.